# SOMMAIRE

© Éditions Épigones, Paris, 1993.
ISBN : 2-7366-2624-9.
Dépôt légal : mars 1993.
Bibliothèque nationale.
Imprimé en France par PARTENAIRES.

# Voyage en Cyclopédie

Texte de Claudine Lefèvre
Illustrations de Reno

# INSTRUMENTS DE MUSIQUE

ÉPIGONES

# UNE IDÉE ANCIENNE

*Dès la préhistoire, l'homme a fait preuve d'une grande ingéniosité pour créer des instruments de musique. Il a pour cela utilisé les matériaux qui l'entouraient : os, pierre, bois…*

*Au fil des siècles, ces instruments sont devenus si nombreux et si variés que l'homme s'est décidé à les classer. C'est ainsi qu'en Chine ancienne, on les a divisés en huit familles d'après les matières qui les constituaient : peau, soie, métal, terre, bois, bambou, terre cuite, calebasse. Le système arabe, lui, a distingué deux groupes, selon que le musicien utilisait sa main ou son souffle.*

*En Occident, comment classons-nous les instruments ?*

Clarinette double arabe utilisée dans les fêtes populaires. Un tuyau sert à jouer la mélodie, l'autre tuyau produit une note continue appelée « bourdon ».

Rebab : instrument arabe joué avec un archet, donc avec la main.

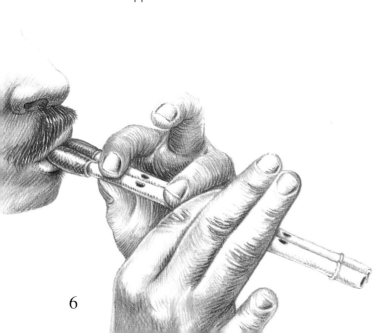

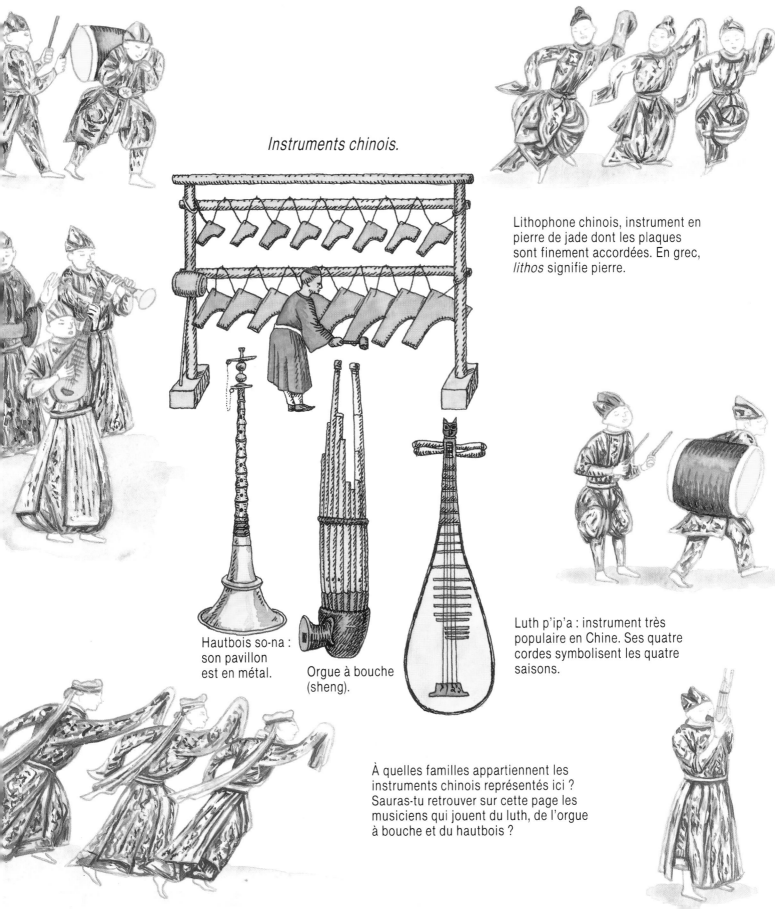

Instruments chinois.

Lithophone chinois, instrument en pierre de jade dont les plaques sont finement accordées. En grec, *lithos* signifie pierre.

Hautbois so-na : son pavillon est en métal.

Orgue à bouche (sheng).

Luth p'ip'a : instrument très populaire en Chine. Ses quatre cordes symbolisent les quatre saisons.

À quelles familles appartiennent les instruments chinois représentés ici ? Sauras-tu retrouver sur cette page les musiciens qui jouent du luth, de l'orgue à bouche et du hautbois ?

# TROIS FAMILLES

En Occident, on a coutume de répartir les instruments en trois familles : les cordes, les vents et les percussions.

Chaque famille est elle-même divisée en plusieurs groupes. Les cordes se répartissent en cordes frottées, pincées ou frappées. Les vents réunissent les bois et les cuivres. Quant au groupe des percussions, on y distingue les instruments pouvant donner des sons précis (le do, le sol, etc.) de ceux qui servent uniquement à marquer le rythme, comme les maracas.

Cette division des instruments en trois familles est visible dans un orchestre symphonique. En effet, leur répartition dans l'espace permet au chef d'orchestre de donner facilement ses indications. Cependant, tous les instruments sont-ils classables dans ces trois familles ?

Une des trois familles d'instruments est ici plus représentée que les autres. Laquelle ? Cordes, vents ou percussions ?

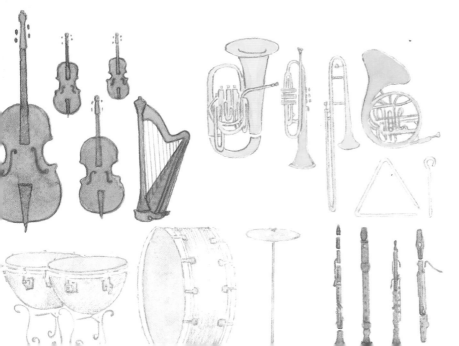

Cette disposition de l'orchestre est la plus courante. Les instruments y sont regroupés par famille, on dit aussi par pupitre. Retrouve tous les groupes : bois, cuivres, cordes frottées, cordes pincées, etc.

Dans les cirques, on peut voir parfois des hommes-orchestre.

# LES INCLASSABLES ?

*Au XVIIIᵉ siècle, quand un orchestre possédait des percussions, elles étaient souvent réduites à une paire de timbales. Au cours des siècles, cette partie de l'orchestre s'est enrichie et diversifiée.*

*Aujourd'hui, on conserve le terme « percussions » pour désigner effectivement les xylophones qu'on percute, mais aussi les castagnettes qu'on entrechoque et les maracas qu'on secoue.*

*Dans les instruments à vent, le saxophone fait partie du groupe des bois alors qu'il est en cuivre ! Quant au piano, il appartient à la fois à la famille des percussions et à celle des cordes.*

*Une autre classification n'était-elle pas à inventer ?*

Cette flûte traversière en métal est classée dans la famille des bois, car à l'origine elle était faite en bois.

La sanza, instrument aux languettes de métal pincées, n'est classable dans aucune des trois familles.

Si le saxophone en cuivre est classé dans le groupe des bois, c'est parce qu'il fonctionne, tout comme la clarinette, avec une anche battante simple, petite languette de roseau qui vient battre contre son bec.

Certains de ces instruments, bien que classés parmi les percussions, ne sont cependant pas frappés. Ce sont la flûte à coulisse (1), le racleur (2), les maracas (3), les grelots (4), les claves (5), le fouet (6) et les cymbalettes (7).

11

Avec des coquillages, fabrique toi-même des idiophones.

# UN PEU D'ORDRE

*Le son naît de la vibration d'une matière qui peut être très différente selon les instruments. Il peut s'agir de métal pour les cymbales, de bois pour les castagnettes, de peau pour les tambours, etc.*

*C'est la qualité de cette matière vibrante qui permet de distinguer quatre nouvelles familles et d'inventer un autre classement. Si la matière est solide, rigide, il s'agit d'idiophones : claves, cloches... Si c'est une membrane, c'est la famille des membranophones : tambours... Si ce sont une ou plusieurs cordes, ce sont les cordophones : guitare, violon, harpe... Enfin, quand la matière vibrante est l'air, c'est alors la famille des aérophones : flûte, trompette...*

La membrane élastique de ce bendir du Maroc est tendue par la chaleur afin de mieux sonner.

Idiophone à fabriquer : accorde ces verres en variant leur niveau d'eau et tourne ton doigt humidifié sur leur rebord pour les faire vibrer. (Glück a composé au XVIIIe siècle un concerto pour 26 verres et orchestre.)

Ce cordophone a été réalisé par
des enfants africains. L'un frappe
la corde, l'autre modifie sa longueur
et le troisième amplifie ou assourdit
le son avec une boîte de conserve.

Voici un aérophone : c'est l'air qui vibre et produit le son.
Souffle sur le bord des bouteilles et accorde les sons
en modifiant le contenu des bouteilles.

Cette musicienne de Pompéi secoue un sistre.

# MENONS L'ENQUÊTE

*Les musiciens n'ont pas tous la même façon de jouer d'un instrument. Certains le frottent, d'autres le secouent, d'autres encore le pincent, et il y en a même qui le frappent !*

*Ces procédés variés, nécessaires pour obtenir le son, vont permettre de regrouper les instruments à l'intérieur d'une même famille. Dans la famille des idiophones, le sistre, sorte de hochet, sera rangé aux côtés des maracas, car on joue de ces deux instruments en les secouant. Le xylophone que l'on frappe sera dans un autre groupe.*

*Pour permettre de compléter la fiche d'identité d'un instrument, on observera également sa forme et les particularités de sa facture, c'est-à-dire de sa fabrication.*

△ Il faut beaucoup de souffle pour utiliser ce hautbois marocain.

◁ Musiciens basques jouant du txalaparta. Ils frappent une planche.

Ce musicien africain pince les cordes de sa harpe.

Selon les pas des danseuses, ces parures de jambe produisent des rythmes différents.

Ce musicien cubain tient dans ses mains un racleur, simple courge séchée et évidée sur laquelle ont été faites des entailles.

Ce musicien iranien frotte avec un archet les cordes de sa vièle.

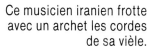

# QUI CHERCHE TROUVE

*La nouvelle classification en quatre familles a été peu à peu élaborée depuis la fin du siècle dernier par les organologues, spécialistes de l'étude des instruments. Quant aux ethnomusicologues, ils sont spécialisés dans l'étude des musiques traditionnelles de tous les pays.*

*André Schaeffner, un ethnomusicologue de la première moitié du XXᵉ siècle, célèbre, entre autres, pour ses travaux sur l'Afrique noire, a également participé aux recherches qui ont permis de créer un classement cohérent, logique et facile à utiliser.*

*Les instruments électriques ou électroniques ne sont pas inclus dans ces familles.*

La classification des instruments est utilisée par les ethnomusicologues. Au retour de leurs différentes missions à l'étranger ou dans les provinces, ils analysent en laboratoire les documents qu'ils ont rapportés.

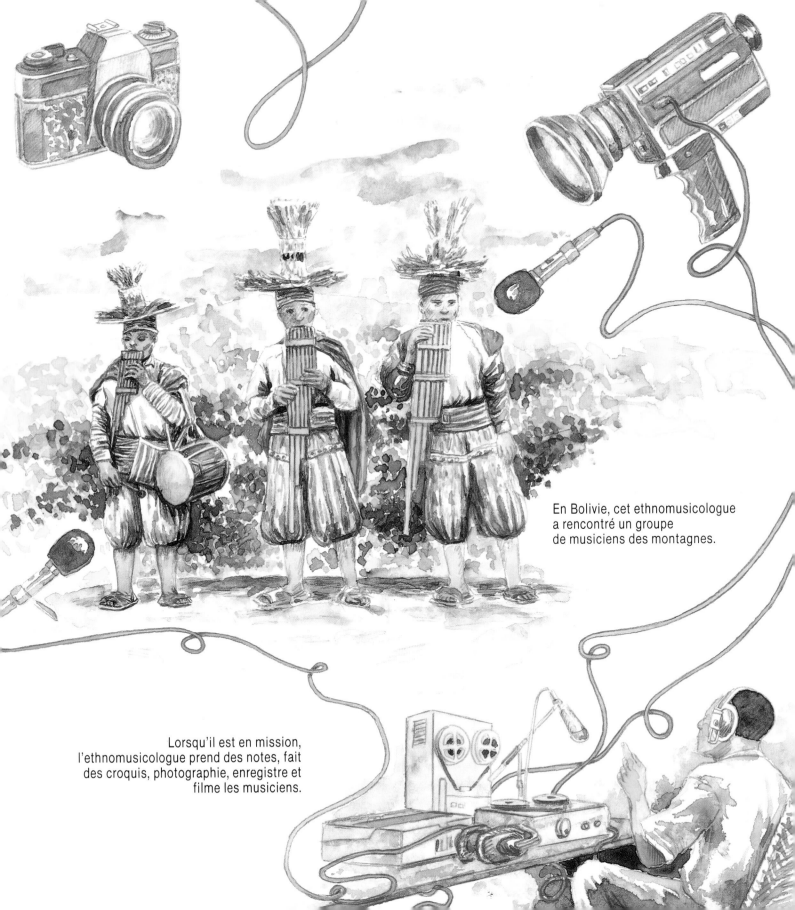

En Bolivie, cet ethnomusicologue
a rencontré un groupe
de musiciens des montagnes.

Lorsqu'il est en mission,
l'ethnomusicologue prend des notes, fait
des croquis, photographie, enregistre et
filme les musiciens.

# DUR-DUR-DUR

*Les instruments de la famille des idiophones sont très variés mais possèdent tous une matière sonore rigide : bois, pierre, métal …*

*Les musiciens font chanter leurs instruments de différentes façons. Certains les frappent, d'autres les secouent, les pincent, les entrechoquent, d'autres encore les frottent ou les raclent : ils adaptent leurs gestes en fonction de la matière, de l'épaisseur, de la forme de l'instrument et du son qu'ils désirent entendre.*

*Il est difficile en effet de pincer de la pierre ou d'obtenir un son en secouant une boule de verre, sauf si elle tombe par terre !*

Ce musicien joue du xylophone dans un orchestre symphonique. Il frappe sur des lames en bois finement accordées. Le son est amplifié par un tube qui sert de résonateur.

En Grèce, pendant le carnaval, on voit des déguisements munis de cloches : idiophones à secouer.

18

La carapace de tortue est, chez les Indiens d'Amazonie, un idiophone à frotter. Pour en jouer, ils s'enduisent les mains d'un liquide poisseux, car il est riche en amidon de manioc.

Les cymbales s'entrechoquent ; le son peut vibrer très longtemps ou s'arrêter rapidement si on applique les cymbales sur sa poitrine.

Cet instrument de Côte-d'Ivoire est un des plus gros racleurs du monde. C'est aussi un idiophone à frapper. On peut donc dire que c'est un tambour-racleur.

La guimbarde est un idiophone à pincer. La languette pincée peut être en métal, en os ou en bambou. En modifiant la forme de la bouche, on obtient des sons différents.

Flûte de Pan roumaine.

Flûte à encoche bolivienne.

# TOUS DANS LE VENT

*Dans la famille des aérophones, c'est, la plupart du temps, l'air contenu dans un tuyau, qui vibre et produit le son. Toutes les flûtes fonctionnent avec l'arrivée de l'air sur un biseau. Ce biseau est parfois déjà taillé dans le bois et l'air vient s'y heurter comme dans la flûte à bec. Sinon, ce sont les lèvres qui dirigent le souffle sur la paroi du tuyau afin qu'il sonne.*

*Le son peut venir aussi d'une fine languette de roseau qui vibre au passage de l'air : l'anche. Il existe des anches battantes simples comme la clarinette, des anches doubles comme le hautbois, et des anches libres comme l'harmonica.*

*On parle d'anches lippales lorsque ce sont les lèvres du musicien qui jouent le rôle d'anches naturelles comme dans le cas des trompettes.*

Flûte traversière d'Europe centrale.

Flûte à bec.

L'anche simple bat contre le bec du saxophone.

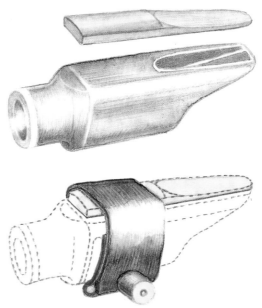

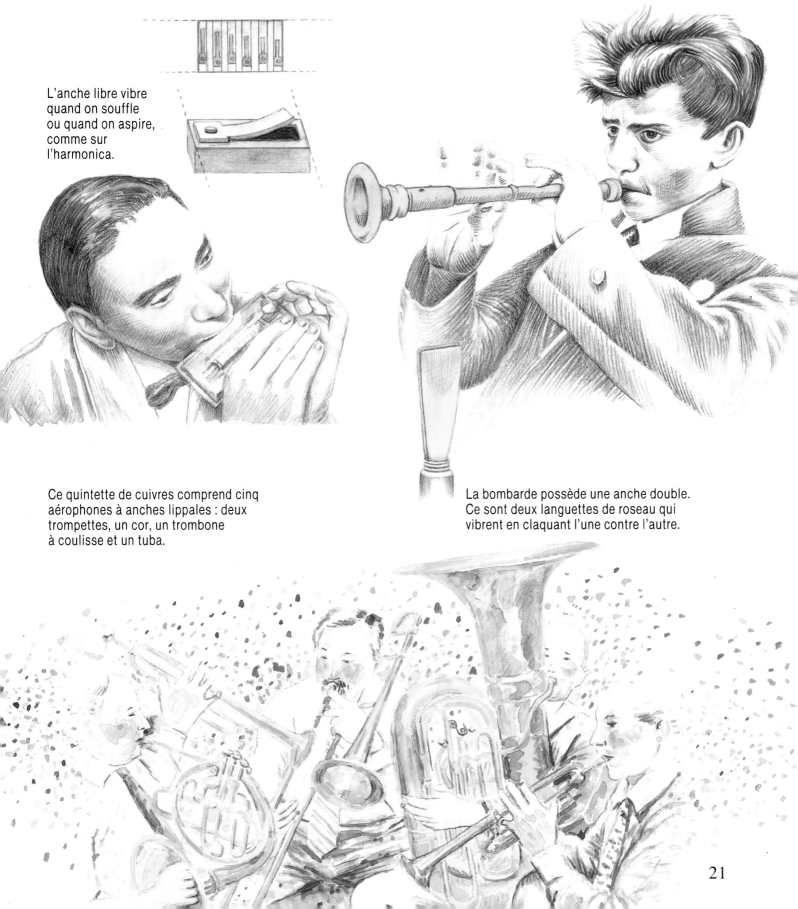

L'anche libre vibre quand on souffle ou quand on aspire, comme sur l'harmonica.

Ce quintette de cuivres comprend cinq aérophones à anches lippales : deux trompettes, un cor, un trombone à coulisse et un tuba.

La bombarde possède une anche double. Ce sont deux languettes de roseau qui vibrent en claquant l'une contre l'autre.

21

# FABRIQUE ET JOUE

*La clarinette que tu vas construire est un instrument à anche simple. Si tu soignes particulièrement la fabrication de cette anche, ta clarinette sonnera bien.*

*Quant au xylophone que tu vas réaliser, il aura huit lames allant du do au do ; son étendue sera donc d'une octave. En grec, xylon signifie bois ; un xylophone est donc un idiophone dont la matière vibrante est le bois.*

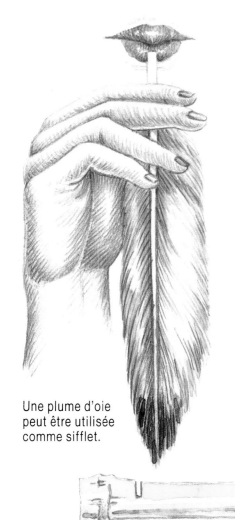

Une plume d'oie peut être utilisée comme sifflet.

Fabrique une clarinette. Prends un roseau d'environ un centimètre de diamètre. Avec un couteau bien affûté, fais une entaille fine après le nœud et dégage délicatement une anche.

Gratte-la avec précaution pour l'assouplir et serre-la en enroulant du fil de lin que tu colles.

Pour jouer, appuie tes lèvres juste après le fil encollé et souffle en fermant bien ta bouche.

Il est facile de faire un xylophone sur jambes,
comme en Afrique !

Fabrique un xylophone. Assemble quatre tasseaux
de bois de manière à former un cadre (section : 1,5 cm
x 1,5 cm ; longueur : 2 de 50 cm, 1 de 15 cm et 1 de 10 cm).
Colle une bande de caoutchouc ou du bourrelet pour
fenêtre sur les deux grands côtés. Coupe huit autres
tasseaux (section : 2,5 cm x 5 cm ; longueur : 30 -
28,7 - 27,5 - 26,8 - 25,6 - 24,3 - 23,1 et 22,5 cm).

Si tu respectes bien les longueurs, ton xylophone sera
correctement accordé. Dispose les tasseaux sur le cadre
à 1,5 cm les uns des autres. Repère avec un crayon
l'endroit où tu planteras ton clou (pointe sans tête).
La lame est fixée d'un côté seulement pour pouvoir vibrer.
Et maintenant à toi de jouer !

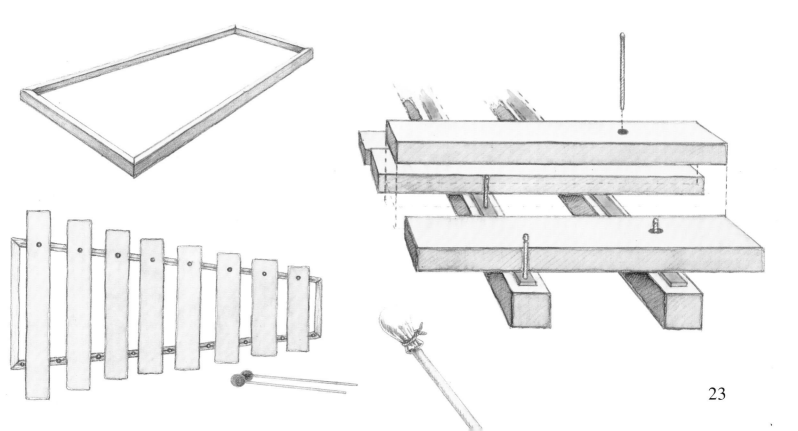

Jusqu'au XVIIe siècle, tambours et timbales étaient plutôt réservés à la musique militaire.

# À FLEUR DE PEAUX

*Dans la famille des membranophones, le son vient d'une membrane élastique tendue sur un support creux. Selon les instruments, le musicien frappe ou frotte cette membrane.*

*La peau des tambours à friction est traversée par une ficelle ou une baguette qui met la peau en vibration. Le son produit peut ressembler à un profond rugissement ou imiter le bruit des poulets ! Pour faire sonner le tambour à friction, le musicien se mouille la main et frotte la baguette de haut en bas. S'il s'agit d'une corde, il la tire.*

*En Afrique noire, les sons étranges de ces tambours en ont fait des instruments tabous, utilisés dans des sociétés secrètes. Dans certaines d'entre elles, les femmes et les enfants n'ont pas le droit de les toucher ni même de les voir.*

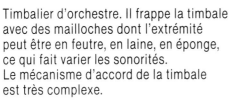

Tambour à deux peaux et boules fouettantes. Lorsque l'on roule le manche entre ses mains, les petites boules de bois viennent fouetter les peaux.

Timbalier d'orchestre. Il frappe la timbale avec des mailloches dont l'extrémité peut être en feutre, en laine, en éponge, ce qui fait varier les sonorités. Le mécanisme d'accord de la timbale est très complexe.

◁ Tambour à friction
de Rhodésie du Nord.
La peau est mise en
vibration en frottant la tige
avec des mains humides.

Jeu frappé sur la darboukka,
tambour arabe. La peau de ce
membranophone est collée sur
la caisse de résonance. ▷

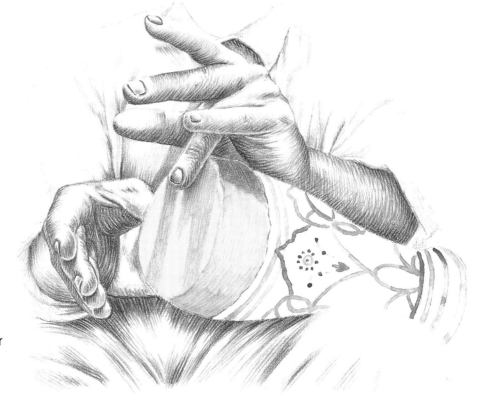

Joueur de djembé,
membranophone fréquent en
Afrique de l'Ouest. Les plaques
et les anneaux métalliques
enrichissent le son
de cet instrument.

Les « tambours de feu » du Japon
sont parmi les plus grands
tambours du monde. En jouer
demande un entraînement
physique intensif.

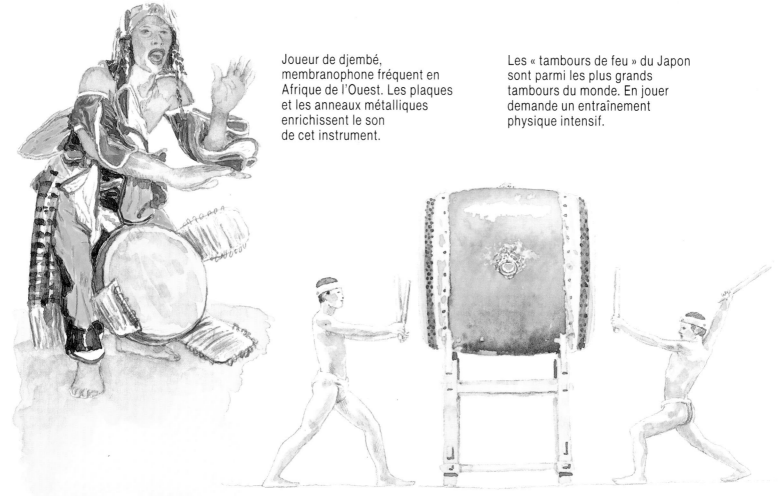

# LA CORDE SENSIBLE

*Dans la famille des cordophones, le son provient d'une ou plusieurs cordes. Grâce à la forme de l'instrument, on distingue six types de cordophones : les arcs musicaux, les luths, les vièles, les cithares, les harpes et les lyres.*

*Pour faire vibrer une corde, on peut la pincer avec les doigts ou un plectre, petite pièce de bois, d'écaille ou de plastique. On peut aussi la frapper avec des baguettes ou des mailloches, ou bien la frotter avec un archet. La hauteur du son produit par une corde dépend surtout de la longueur et de la tension de celle-ci.*

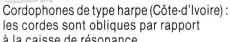

Cordophones de type harpe (Côte-d'Ivoire) : les cordes sont obliques par rapport à la caisse de résonance.

Arc musical en bouche (Centrafrique). La corde vibre, tendue entre deux extrémités d'une branche arquée, et la bouche sert de résonateur.

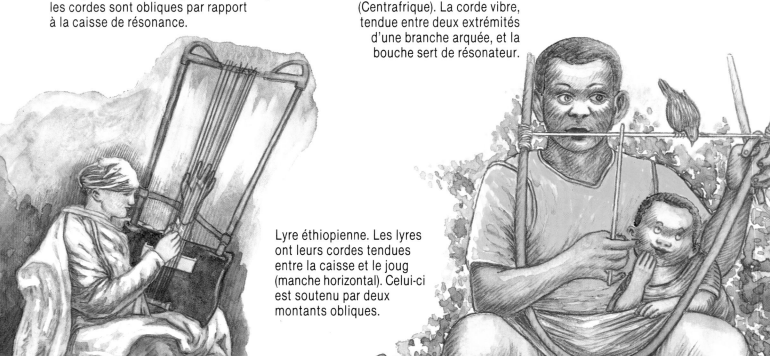

Lyre éthiopienne. Les lyres ont leurs cordes tendues entre la caisse et le joug (manche horizontal). Celui-ci est soutenu par deux montants obliques.

Le piano est un cordophone de type cithare. Le violon
et le violoncelle sont du type vièle : leurs cordes sont
tendues entre la caisse et le manche dans un plan
rectiligne. Pour les vièles, on utilise un archet,
ce qui les différencie des luths.

Cithare vietnamienne. Les cithares n'ont jamais
de manche ; leurs cordes sont parallèles entre elles
et parallèles à la caisse.

Saz turc, cordophone de type
luth. Les luths ont, comme
les vièles, des cordes tendues
entre la caisse et le manche
dans un plan rectiligne, mais
leurs cordes sont pincées.

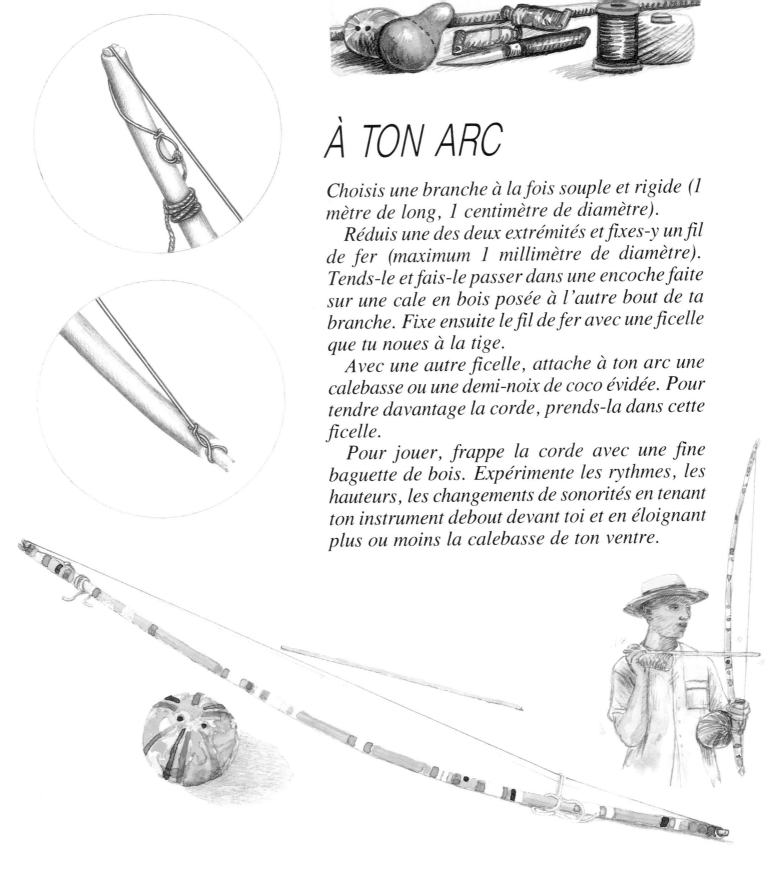

# À TON ARC

Choisis une branche à la fois souple et rigide (1 mètre de long, 1 centimètre de diamètre).

Réduis une des deux extrémités et fixes-y un fil de fer (maximum 1 millimètre de diamètre). Tends-le et fais-le passer dans une encoche faite sur une cale en bois posée à l'autre bout de ta branche. Fixe ensuite le fil de fer avec une ficelle que tu noues à la tige.

Avec une autre ficelle, attache à ton arc une calebasse ou une demi-noix de coco évidée. Pour tendre davantage la corde, prends-la dans cette ficelle.

Pour jouer, frappe la corde avec une fine baguette de bois. Expérimente les rythmes, les hauteurs, les changements de sonorités en tenant ton instrument debout devant toi et en éloignant plus ou moins la calebasse de ton ventre.

# TAMBOUR BATTANT

Découpe, dans une feuille de plastique assez épaisse, un carré s'adaptant largement au diamètre d'un pot de fleurs.

Avec une vieille lime, élargis le trou qui est au fond du pot. Enduis avec de la colle contact le haut du pot et la partie de la membrane qui va s'y apposer.

Attends quelques minutes et colle les deux parties en tendant bien fort la membrane.

Maintiens la pression et la tension pendant une dizaine de minutes. Laisse sécher complètement puis renforce la tension et la fixation avec un lien que tu serres très fort autour du pot.

Maintenant, à toi de jouer.

29

# La musique de A à Z